Tha an leabhar seo
mu Thopsy is Tim le

_____

aig an Dotair

Jean agus Gareth Adamson

LINDSAY PUBLICATIONS

Air fhoillseachadh ann an 2000 le
Lindsay Publications,
PO Box 812,
Glaschu G14 9NP

Air ullachadh dhan chlò le
Creative Imprint Ltd www.creativeimprint.co.uk

A' Ghàidhlig le Iain MacDhòmhnaill

Air fhoillseachadh an toiseach sa Bheurla le Ladybird Books Ltd
© Jean and Gareth Adamson 1995

Air a chlò-bhualadh san Eadailt

Chuidich Comhairle nan Leabhraichean am foillsichear le cosgaisean an leabhair seo.

Bha a' mhadainn fuar agus ceòthach.
Thug Mamaidh biadh math teth
a-staigh gu Topsy agus gu Tim.
Ach cha robh Tim ga iarraidh idir.

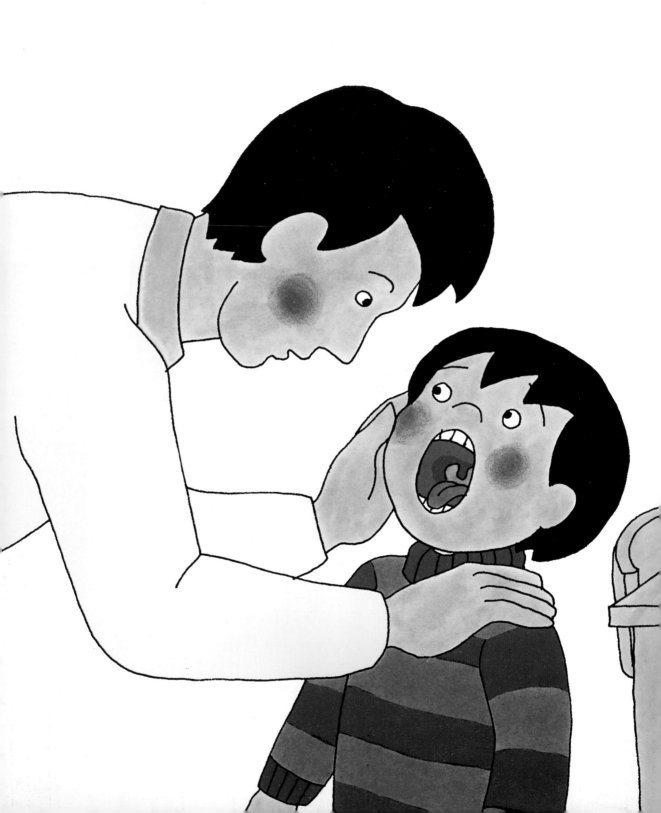

Cha robh Mamaidh air a dòigh.
Cha robh Dadaidh mì-thoilichte idir,
ach cha b' esan a rinn am biadh!
'Feumaidh gu bheil rudeigin ceàrr,'
thuirt e. 'Fosgail do bheul, Tim.'
Bha at ann an amhaich Tim, agus bha i
a' coimhead cho dearg 's cho goirt.
'O, Tim bochd,' arsa Dadaidh.

Dh'fhòn Mamaidh dhan Ionad Slàinte.
Chuir i air dòigh gum faiceadh Tim
an Dr. MacAsgaill.
Dh'fhalbh iad an uair sin dhan Ionad.
Chum Tim a shròn is amhaich blàth
fhad 's a bha iad a' coiseachd.

Choimhead tè anns an Ionad feuch
an robh ainm Tim san leabhar.
Bha, agus thuirt i riutha feitheamh
treiseag bheag ris an dotair.
Cò bha a' feitheamh an sin ach Kerry.
Bha Topsy is Tim eòlach air Kerry.

'Dè tha ceàrr ortsa, Kerry?'
dh'fhaighnich Topsy.
'Tha m' amhaich goirt,'
arsa Kerry.
'Tha agus amhaich Tim,'
arsa Topsy.
Bha Tim a' coimhead gruamach.

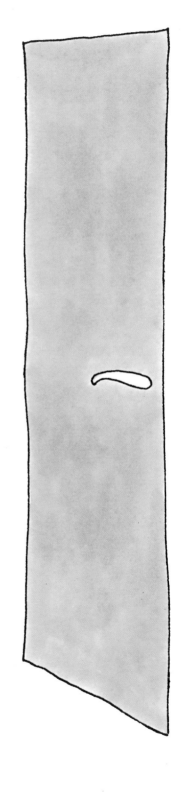

Ann an tiotan beag fhuair iad a-steach
far an robh an Dr. MacAsgaill.
'Ciamar a tha sibh an-diugh?' thuirt e.
'Tha gu math, tapadh leibh,' arsa Topsy,
ach cha do fhreagair Tim idir.

'Chan eil Tim a' bruidhinn idir,'
thuirt Topsy ris an dotair.
'Tha amhaich goirt.'

'Chan eil sin cho math,' thuirt an dotair.
'Fosgail thusa do bheul, Tim,
feuch am faic mise dè tha ceàrr.'
Chuir e bioran beag tana air teanga Tim.
'Can Ah a-nis,' thuirt e.

Choimhead an dotair an uair sin
air sùilean Tim agus am broinn a chluasan.
'Tha fhios gu bheil do chluasan
gu math goirt cuideachd,' thuirt e ris.
Ghnog Tim a cheann.
'Bu tu fhèin an gille tapaidh,'
thuirt an dotair.

'Ceart gu leòr,' ars an Dr. MacAsgaill.
'Tog a-nis do gheansaidh, Tim.'
Chuir e an steatascop na chluasan fhèin
agus dh'èist e ri uchd Tim.

'Tha sin coltach ri fòn,' thuirt Tim.
'Tha,' ars an dotair, 'is cluinnidh mise
uchdan is stamagan leis. Bidh am fuaim
ag innse dhomh a bheil daoine tinn.'
An uair sin leig an dotair le Topsy
èisteachd ri cridhe Tim a' bualadh!

Thug an dotair bileag do Mhamaidh.
'Ma ghabhas Tim làn spàine dhen
ìocshlaint seo ceithir tursan san latha,
chan fhada gus am bi e gu math.'

Chaidh iad an uair sin far an robh
Màiri Ghreumach, agus dh'ullaich ise
an ìocshlaint airson amhaich Tim.
'Feumaidh e a ghabhail air fad,' thuirt i.

Cungaidhean

Thug Màiri am botal do Mhamaidh.
Bha Kerry a' dol a-mach aig an aon àm.
'Fhuair sinne botal cuideachd,' thuirt i.
'Chì mi sibh anns an sgoil, a Thopsy.'

Nuair a bha iad a-staigh, thug Mamaidh
a-mach am botal. Cha b' urrainn
do chloinn fhosgladh, ach b' urrainn
do Mhamaidh. Lìon i spàin dhen ìocshlaint
is thug i seo do Tim airson amhaich.

'An robh blas math air?' arsa Topsy.
'Bha gu dearbha,' fhreagair Tim.
Ghlèidh Mamaidh am botal am broinn
preasa agus ghlas i an doras.

Nuair a thàinig Dadaidh dhachaigh,
bha Tim ag ithe aig a' bhòrd,
ach cha robh Topsy a' gabhail dad.
Cha robh i a' coimhead air a dòigh.
'Saoil thusa ...' arsa Dadaidh.
'Fosgail do bheul, a Thopsy.'
Bha amhaich Topsy dearg is goirt!

Dh'fhalbh Dadaidh dhan Ionad le Topsy
an uair sin. Bha a h-amhaich goirt,
ach bha i moiteil gu robh ise
a' dol chun an dotair cuideachd!

Cha robh an Dr. MacAsgaill ann idir,
agus sheall an Dr. NicLeòid air Topsy.
Agus thill Topsy is Dadaidh dhachaigh
le botal eile - an aon seòrsa
ris a' bhotal a fhuair Tim!